KB075963

제주가 건넨 위로

제주가 건넨 위로

발　행 | 2024년 2월 23일
저　자 | 정혜영
펴낸이 | 한건희
펴낸곳 | 주식회사 부크크
출판사등록 | 2014.07.15.(제2014-16호)
주　소 | 서울특별시 금천구 가산디지털1로 119 SK트윈타워 A동 305호
전　화 | 1670-8316
이메일 | info@bookk.co.kr

ISBN | 979-11-410-7350-3

www.bookk.co.kr
ⓒ 정혜영 2024
본 책은 저작자의 지적 재산으로서 무단 전재와 복제를 금합니다.

제주가 건넨 위로

정혜영 지음

CONTENTS

프롤로그

제주...

소아암으로 투병을 하다가 일 년 전 하늘의 별이 된 둘째 아이가 이곳에서만큼은 마음껏 자유로웠던 곳이다.

자가 조혈모세포(백혈구, 적혈구 및 혈소판 등의 혈액세포를 만들어내는 세포) 이식을 2회 시행하고도 재발한 신경모세포종 소아암 환아의 경우 부모의 조혈모세포를 이식하는 치료를 하게 된다. 타인의 조혈모세포를 이식하는 것이기에 동종이식이라고도 부른다. 동종이식 치료를 앞두고 이식 부작용 등에 관한 설명을 들었다. 이식 때 사용되는 토끼혈청(ATG)이라는 것이 있는데, 사람이 아닌 동물인 토끼의 혈청이다보니 이것의 가장 심각한 부작용은 쇼크가 올 경우, 사망이었다. 이식 치료를 진행하던 도중 사망... 일어나지 않았으면 좋겠지만 1퍼센트의 확률로 사망할 수도 있다는 것, 그것은 이 아이와 함께할 수 있는 시간이 여기서 마지막일 수도 있다는 것이었다.

더 이상의 망설임은 없었다.

떠나자!

태어나서 한 번도 타 본 적이 없었던 비행기,

비행기를 타고 하늘을 날아 제주로 가자.

우리나라에서 가장 아름다운 섬,

그곳을 두 눈에 가득 담아 오자!

머리 전체에 양성자라는 방사선을 쬐는 전뇌양성자 치료를 마친 후라 혈액 수치가 바닥이었다. 떠나기 전날까지 서울의 병원에서 적혈구와 혈소판 수혈을 마친 후 대구로 내려와 가족들과 대구공항으로 떠났다. 양 갈래 머리의 노란 가발을 쓴 채로 설레는 마음을 품에 안고서 제주도로 향하는 비행기에 몸을 실었다.

우우우웅 웽~~

올라간다 올라간다 와아아아아아~

놀이기구를 타는 것처럼 이륙하는 비행기가 그저 신기했던 세 아이들은 마스크를 쓰고 있어도 함박웃음이 가득한 얼굴들이었다. 창밖으로 보이는 멀어져 가는 대구의 모습과 하얀 구름들 사이로 보이는 바다까지~ 하나하나 두 눈에 가득 담았다.

제주공항에 내려 20분여 정도를 가니 골목길 안쪽에 너무나도 예쁜 식당이 하나 있었다. 푸릇한 잔디 마당에는 커다란 강아지 한 마리가 한낮의 햇볕을 피해 파라솔 아래에서 낮잠을 자고 있었고, 커다란 통유리창으로는 따사로운 4월의 햇살이 가득 들어오고 있었다. 바삭바삭한 갓 나온 돈가스를 먹으며 아이도 쓰고 있던 노란 가발을 벗어던진 채로 식당 앞 마당에서 제주의 바람과 햇살을 즐겼다.

우리의 첫 번째 목적지였던 제주 서쪽 해변에서 만난 금능은 세상에 이렇게도 예쁜 물빛이 있을까 싶었던 환상적인 에메랄드 그 자체였다. 마침 물이 빠지고 있던 때라 신발을 벗어던진 채로 금능의 부드러운 모래들을 마음껏 밟았다. 점점 얕아지고 있는 바닷물 아래 모래 사이로 움직이고 있던 보말과 소라게, 작은 물고기들을 구경하며 제주의 바다를 즐겼다.

'제주도의 푸른 밤' 노래 가사처럼 모든 것들을 잠시 훌훌 털어 버리고 떠나온 제주에서 우리는 산과 바다 자연이 주는 그 커다란 품 안에서 마음껏 웃었다.

그렇게 행복한 추억의 시간들을 가득 안고서 병원으로 돌아왔다. 이식 치료 중 위험한 고비의 순간도 있었지만, 의료진들의 도움으로 무사히 잘 마쳤었다.

그러나 그해 겨울, 또다시 재발이라는 이야기를 듣게 되었다. 재발 후의 치료는 완전한 완치이기보다는 생의 연장이었음을 알고 있었기에 이번에도 나의 결정은 마찬가지였다. 언제 마지막이 될지 알 수 없는 시간들, 그렇다고 남아 있는 내일의 밤들은 얼마나 될지 슬퍼만 하고 있을 수는 없었다. 항암치료를 다시 시작하기 전에 잠시 시간을 달라고 담당 교수님께 말씀드렸다. 코로나 시국에 큰 치료를 앞두고 갑자기 제주로 다녀오겠다는 우리를 이해해 주시고 제주행을 허락해 주셨던 교수님께서는 이번에도 우리에게 잠시 쉴 시간을 주셨다.

눈물이 하염없이 흘러내리던 대구행 기차에서 그저 제주로 가야겠다고 생각했다. 눈을 너무나도 좋아하는 아이였기에 하얀 눈으로 가득 쌓인 겨울의 아름다운 세상을 보여 주고 싶었다. 발이 푹푹 빠질 정도로 눈이 가득 쌓인 한라생태숲에서 만난 하얀 눈 세상은 겨울왕국의 동화 속에 들어온 것만 같이 '와' 하는 탄성이 절로 나왔다. 하얗고 보드라운 솜털 같은 그 눈을 직

접 만져 보고 자연이 만들어 준 눈 침대 위에 그대로 누워도 보며 마음껏 즐겨 본 제주의 겨울 세상에서 다시 힘을 얻고 서울로 올라가 항암치료를 시작하였다.

그 후 아이는 재발과 치료를 반복하다가 2023년 3월 20일 하늘의 별이 되었다.

한동안 아이와 함께한 시간들을 그리워하다가 우리 가족은 제주로 훌쩍 떠났다. 아이가 제주의 품 안에서는 가발도 벗어던진 채로 자유롭게 바람과 햇살을 즐겼던 것처럼 다시 찾아온 우리에게 제주는 또다시 넉넉한 그 품을 내어 주었다.

아이와 함께 제주에 와서 처음 만난 곳이자, 마지막으로 왔을 때에도 꼭 먹고 가고 싶다고 했었던 '고추냉이 식당'부터 우리의 포근한 보금자리가 되어 주었던 '제주시절', 드넓은 푸른 초원 속에서 마음껏 달려 보았던 '아침미소목장', 미로 속 고양이를 찾아 나섰던 '김녕미로공원' 그리고 금능, 월정의 푸른 바다와 한라산 곳곳 그 속에 남겨 둔 추억의 흔적들을 하나씩 찾았다.

러브레터 영화 속의 외침처럼

"잘 지내니?
우리는 잘 지내고 있어."

바다를 향해, 산을 향해 목 놓아 이름을 불러도 보고 참아 왔던 눈물을 쏟아도 내면서 그리움과 상처들을 제주 안에서 조금

씩 치유해 나갔다.

 이 책에서는 함께했던 우리의 행복했던 그 시간들과 추억의 장소를 다시 찾아 나섰던 시간들을 짧은 글과 사진으로 함께 담아 내었다. 마음의 아픔을 겪고 계신 분들께 그 상처를 치유해 내가는 데 있어 조금이나마 작은 도움이 되기를 바래본다.

2024년 2월
정혜영

제1화

안녕? 제주는 처음이지?

별 좋은 마당

햇살이 가득 쏟아지는 커다란 창

언제나 꿈꿔 왔던 곳

카레와 돈가스

정성을 다해서 내어 주신

그 따스함 속에 담긴

마음에 주는 든든한 위로

제주도 푸른 하늘 아래에서
벗어던진 가발
시선과 편견,
그 모든 것들로부터 자유롭고 싶다.

"안녕? 강아지야
너를 만나서 반가웠어.
우리 언젠가 또 만나자."

제주에서 처음 만난 바다

금능

두 눈에 가득 담아 가야지.

비양도와 함께 반짝이던 바다

지친 마음은

이곳에

모두 두고 가렴.

"엄마, 모래를 파도 파도
바닷물이 아직 남아 있어.
그리고 아주 따뜻하고 부드러워."

금능에 남겨 둔 보물은
사랑이란다.
이곳에 올 때마다
사랑의 기억을 떠올릴 수 있게...

고단했던 몸과 마음을

포근히 맞아 주었던 제주시절

방명록에 남겨 둔 우리의 추억

모래밭에서의 추억을
깨끗이 씻어 말려 두고
조명을 켜 본다.
하나 둘 들어오는 조명을 따라서
해질녘 사월의 봄바람도
네 곁에 머무르다 가네.

찾았다!

미로탐험 성공~

행운의 고양이 사랑이

너는 나에게 언제나 행운이었단다.

제주의 오름에서

시원한 바람을 맞으며 맘껏 달려 보자!

하얀 모래 위에
색색의 파랑들이 차례로 놓여 있다.
저마다 내어놓는 푸른 빛이 모여
바다가 된다.

달이 머무르는 월정리에서
반짝이는 우리의 시간들도
오래도록 머무르기를. . .

두 눈으로
이토록 아름다운 세상을
볼 수 있게 해 주시고,

두 손으로
바람 속에 담긴 숨결을
느낄 수 있게 해 주시고,

두 발로
대지 위에 선 그 심장의 울림을
느낄 수 있게 해 주셔서
감사합니다.

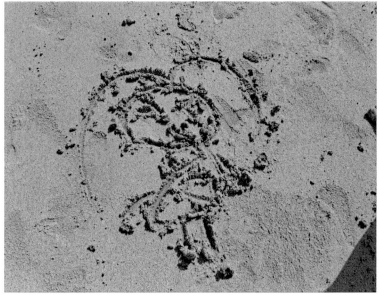

모래밭에 남겨 둔 너의 이름과 흔적들

다시 꼭 돌아올게.
행복했던 제주의 시간을
잊지 않을게.

제2화

겨울의 제주를 만나다

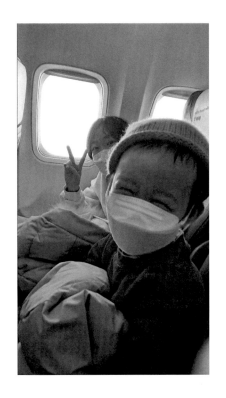

다가올 치료에 대한 걱정은 접어 두자.

너의 눈과 마음에

아름답고 예쁜 세상만

가득 담겼으면 좋겠다.

너를 남겨 두고 떠나는 이유는
우리가 다시 이곳으로
돌아올 것이기 때문이란다.
이곳 어딘가에서
남겨 둔 너의 흔적들을 찾을 수 있겠지.

"토닥토닥

아기 눈사람아,

잘 지내고 있어.

우리

또, 만나자."

하얀 눈밭에서

함께였던 셋

언제나 영원히 셋이란다.

하늘나라 천사 구름이
반가운 인사를 하러 왔네.
안녕~안녕~
슬픔도 아픔도 없는 곳에서
마음껏 뛰어놀
너희들의 세상

제3화

다시 찾아온 제주

금능 바다에 남겨 두었던
보물을 찾으러
우리는 또다시 제주로 왔다.

"사랑하는 당신께
하고픈 말이 있소.
잠시 여기 내 옆에 앉아
내 얘기 좀 들어 주오."

< 출처- 폴킴, '사랑하는 당신께' (2021) >

하루의 빛이 저물어 가는 시간
제주의 바다가 주는 담담한 위로의 시간을
천천히 천천히
마음속에 담아 본다.

시끌벅적하던 사람들이
모두가 다 떠나고 나면
파도와 바람 소리만 남는다.
오늘 지나간 사람이 다르고
내일 오는 사람도 다르지만,
그들이 남겨 놓은 추억만은
한가득 머금은 채로
항상 그 자리에 있다.

지친 마음과 고된 몸을 이끌고 올 때마다
언제나 포근히 맞아 주었던
이곳에
변함없이 그대로 있어 줘서 고마워요.

말하지 않아도
당신의 슬픔을 알고 있어요.
그저
당신을 꼬옥 안아 드릴게요.

2023. 5. 19 ~ 5. 21

2021년 4월에 '제주시절' 첫 방문하고
올해 세번째로 다시 찾아왔네요. ^^
매년 이맘때쯤 찾아오는 이곳 제주시절이 항상 그립네요.
저희가족이 제주에 함께 처음으로 다녀 봤던
첫 숙소이기도 했지만
아름다운 금능바다에서 보낸 행복한 시간들을
따뜻하고 아늑하게 보듬어주는 이 공간이 정말 좋았었네요.
언제나 깨끗하고 아늑한 곳이라
이번에도 편안히 잘 머무르고 갑니다.
다섯명이던 저희 가족은 이제 네명이 되었지만
제주시절에서 함께 웃고 즐거웠던
그 시간들이 있어서 그 시간들을 더 추억할수 있어서
감사했어요 ♥
오래오래 있어주세요 그리운 시간들이 생각날때면
다시 또 찾아올게요~ ^^
저희 가족에게 제주시절~은
『오래 오래 간직하면서 자주 꺼내어 보고픈
그립고 행복한 시간들의 한 페이지』예요~ ♡
고맙고 감사합니다.

                － 대구에서 성동이네 －

남겨 두고 갑니다.

우리의 추억을요.

지나간 추억을 찾아 왔지만,

또다시 하나의 행복을 남겨 두고 갑니다.

언젠가 또다시

그 행복을 찾아서

오려구요.

하영소랑햄쪄

사랑해

사랑해

언제까지나 영원히

너를

아주 많이 사랑해.

하나둘 새겨 보는 너의 이름

파도가 다시 밀려오면

너의 이름을 지워 버리는 것 같지만,

바다가 너의 이름을 품어 준다고 생각할래.

너를 부르는 우리의 메아리와 함께

아주 많이

사랑한다고 전해 줄래?

그리운 마음일랑

이곳에

모두 남겨 두고 가게나.

그 아픔마저

내가 파도에 실어

멀리멀리 보낼 터이니.

미로 길 따라서 걷다 보면,
보이지 않는 출구에
두려워진다.
인생이라는 미로 속에서
종을 울릴 그 출구만을 찾고 있었나.
갈림길이 나오면 선택을 해야 하고,
막힘길이 나오더라도
다시 뒤돌아 나와 가 보는 용기
두려워만 한다면
우린 아무것도 하지 못했겠지.
그저 주저앉아 있었겠지.
가 보자 다시!
그 길 끝에 정답은 없어도
출구는 반드시 있으니까.

비가 온다.
너도 온다.

비가 올 때마다
네가 왔으면 좋겠다.
아니,
매일매일
네가 내 꿈속에 나와 주면 좋겠다.

목 놓아 불러 보는 이름
허공 속에 메아리가 되어 돌아올지라도
우리의 메아리가
저 바다 수평선 너머
네게 닿기를 간절히 바래 본다.

제4화

못다 한 겨울의 이야기

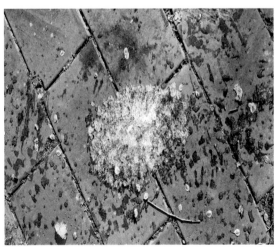

눈이 녹은 자리엔
아직 남아 있는 너의 웃음소리

눈이 녹은 자리엔
아직 남아 있는 너의 목소리

아직도 내겐 떠오르는 네 모습 그대로인데
녹아 버린 눈처럼
너는 어딘가에서 잘 지내니?

손끝을 스쳐가는 따스한 바람이 불어오면
내 마음에도 다시 봄이 오겠지.
눈이 녹은 그 자리에서
다시 만날 봄을 기다려 본다.

푸른 초원에서 마음껏 뛰어다니던 것처럼,
바람을 타고 마음껏 날아다니렴.

행복했던 지나간 시간들을 떠올릴 때마다,

추억은

슬픔의 흔적이기보다는

반짝반짝 빛나던

사랑의 기억임을 더욱 알게 된다.

그리운 마음도 추억과 함께

든든하게 채워 온

다시 만난 고추냉이 식당

언제나 셋이 함께 찍던 이곳에서
또 한 번 추억을 떠올린다.
우리와 항상 함께하고 있을
너의 웃는 모습이 그려진다.
우리 또 만나자.

양 갈래 머리 가발을 쓰고
제주를 찾아왔던
아이에게
따스함을 베풀어 주셨던
제주에서 만난 모든 분들께
감사드립니다.